마음의 소리를 긷는

두 레 박

윤기봉 편

영남사이버대학교 신학과

마음의 소리를 긷는 두레박

발행일_ 2024년 5월 22일
편저자_ 윤기봉
펴낸이_ 한건희
펴낸곳_ 주식회사 부크크
출판사 등록_ 2014.07.15(제2014-16호)
주   소_ 서울특별시 금천구 가산디지털1로 119 SK트윈타워 A동 305호
전   화_ 1670-8316
이메일_ info@bookk.co.kr
ISBN_ 979-11-410-8619-0

마음의 소리를 긷는
두 레 박

프롤로그

이 곳에 실린 글들은 영남사이버대학교 신학과 공식밴드에서 발췌한 글들입니다. 밴드에 올라온 글 가운데 몇 개를 모아 책으로 만들었습니다. 예수 믿는다는 것을 자랑스럽게 말하지 못하는 그런 시대에서 신학을 하는, 그것도 사회생활을 하다가 뒤늦게 신학을 공부하는 이들의 생각의 단편들입니다.

하나님을 사랑하면서 여전히 세상에 두 발을 딛고 사는 사람들의 아름다운 이야기들을 하나씩 들려 드리겠습니다. 여러분의 많은 지지를 기대합니다.

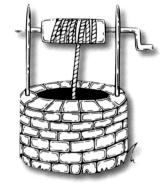

CONTENTS

프롤로그

1. 나는 크리스천입니다_김상호

2. 나로 인해_한선영

3. 꽃잎 하나가 모여_조혜원

4. 공부는 인생의 전부_김천묵

5. 순교_송건호

6. 모든 분께 감사드립니다_안정희

7. 염치 불구하고_이혜경

8. 차분하고 힘차게_최선자

9. 목사보다 부러운 것_박인용

10. 정금같이 다시 태어날 것_김천묵

11. 어떤 ㅁㅊㄴ_박종안

12. 성공에 대하여_유종란

13. 끝나기 전에 끝난게 아니다_김형도

14. 기회_김천묵

15. 지금 인생대학 무슨 과에 다니세요?_황윤숙

16. 그분 어깨에 척 걸쳐 두고_함복희

17. 남의 말을 하기 전에_황윤숙

18. 화장품 장사_안정희

19. 구걸과 나눔_김형도

20. 두 손 없는 소금장수_김은주

21. 깊은 사랑에 빠진 나_황미연

22. 내가 영사대 신학과에 입학한 이유_송건호

23. 오해_이주호

24. 학위수여식_김천묵

25. 태백에 들러_윤기봉

26. 봄이 오는 소리를 들으려면_김용한

27. 해병대교육훈련단교회_최경자

28. 눈물이 핑 돌았어요_권명희

29. 손가락 굳은 살_황윤숙

30. 필리핀 빈민봉사 3일째_오익환

31.   좌우에 날선 검_백현규

32.   총학생회장 김천묵 형제_윤기봉

33.   우리 학교_송건호

34.   어머니_장원진

35.   힘 빼세요.. 힘 빼세요_성혜란

36.   제주 리트릿_김천묵, 최경자, 최돈명

37.   미안하다 친구야_박종안

38.   많이 울었습니다_임춘희

39.   페르소나_이재욱

40.   사진_이동주

에필로그

1

나는 크리스천입니다

나는 크리스천입니다.
내가 "나는 크리스천입니다"라고 말할때
나는 깨끗하게 살고 있다고 말하는 것이 아닙니다
죄가 많지만 잃었던 나를 찾고
용서 받고 있다고 속삭이는 것입니다

내가 "나는 크리스천입니다"라고 말할때

내가 "나는크리스천입니다"라고 말할때
나는 강한 사람이라고 하는 것이 아닙니다.
나는 약하나 강력한 힘이 되시는
예수님을 의지한다고 고백하는 것입니다 .

내가 "나는 크리스천입니다"라고 말할때
나는 성공을 자랑하려는 것이 아닙니다.
나는 실패도 많지만 그 실패를 딛고
다시 일어서도록 예수님이 용기를 주실 것을 믿는 것입니다.

내가 "나는 크리스천입니다"라고 말할때
나는 완전하다고 주장하는 것이 아닙니다.
나의 결점이 너무 많은데도
주님은 나를 귀하게 보신다는 것입니다.

내가 "나는 크리스천입니다"라고 말할때
나는 아직도 내 마음에 고통을 느낍니다.
그래서 나의 이 아픔을
예수님과 나누려 주의 이름을 부르는 것입니다.

내가 "나는 크리스천입니다"라고 말할때
나는 당신보다 선하다고 말하는 게 아닙니다.
나는 단지 죄인이지만
하나님의 크신 은혜를 받고 있다는 것입니다.

김상호_

2

나로 인해

나로 인해 누군가 행복할 수 있다면
그 얼마나 놀라운 축복일까요?

내가 해 준 말 한 마디 때문에
내가 해 준 작은 선물 때문에
내가 베푼 작은 친절 때문에
내가 감사한 작은 일들 때문에

누군가 행복할 수 있다면
우리는 이 땅을 살아갈 의미가 있습니다.

나의 작은 미소 때문에,
내가 나눈 작은 봉사 때문에
내가 나눈 사랑 때문에
내가 함께 해 준 작은 일들 때문에
누군가 기뻐할 수 있다면
내일을 소망하며 살아갈 가치가 있습니다.

우리가 살아가는 단 하나의 이유는
사랑하는 사람들이 있기 때문입니다.
나는 모르더라도 늘 곁에서 뒤에서 지켜봐 주고
기도해 주는 사람들 덕분에 기쁜 일이 있을 땐 나누고,
힘든 일이 있을 땐 서로 도와 가면서 살아가는 게
우리네 인생이지 싶습니다.

우리의 삶은 서로 희노애락을 함께 하며
상생하고 조화를 이룰 때 사는 맛이 나지요.
오늘도 곁에 있는 분들과 함께 웃음을 나누는 행복한 하루,
엔돌핀 샘솟는 기분 좋은 하루 되시기 바랍니다.

한선영_

(알 수 없음)
그 웃음과 행복 가정에서 먼저 느끼게 되는군요 아침이 요란하고 분주합니다 눈을 뜨자마자
학용품상자 장난감상자를 쏟아놓고 어지럽히는 꼬마들~ 어린이집 안가겠다 떼쓰는 셋째녀
석 그럼에도 웃음이 나고 행복한 아침입니다 오늘은 오후 출근이라 아침시간이 여유가 있네
요^♥^

3

꽃잎 하나가 모여

약간의 몸살기로 며칠.게으름을 피우고 있더랬습니다. 11월 막바지 과제가 산더미인데 건강충전하고 오늘부터 정진해야겠습니다.

저는 체육대회 다녀오면서 이런 생각을 해 봤습니다. 전국에 개미교회(개척교회.미자립교회)가 65,000여개인데 그곳에서 힘겹게 헌신하며 사역하시는 목회자분들 모시고 체육대회 한 번 해 봤으면, 어떻게 할 방법이 없을까? 가족들 다 모시고 하려면 월드컵 경기장 하나 빌리면 될까? 재정이 얼마나 필요할까?등 빠르게 머리를 스치고 지나가는 생각들이 있었습니다.

목사님들 가족과 함께 초청해서 천국잔치하듯이.체육행사를 하고 기도회를 하고 영육이 회복되고 강건하게 충전되고 그리하여 더 힘있게 목회현장에서 빛난 승리를 꿈꾸며 일어서는 꿈을 꾸어 봤습니다~ 그리면 얼마나 좋을까요? 언젠가 그러한 날이 오기를 꿈꿉니다. 우리 신학과에서 그러한 일을 해 나갔으면 좋겠습니다. 작은 발걸음이 나 그것을 향해 나아가기를 원합니다. 먼저 기도로 시작하면 길을 열 어 주실 것 같습니다. 마땅히 위로받아야하고 격려받아야 하고 힘을 실어드려야 할 일입니다.

작은 바람이 모여 강풍을 이루고, 꽃잎 하나가 모여 꽃밭을 이룹니다. 강하고 아름다운 예수공동체 안에서 더 큰일을 사모하며 나아가는 이 아침에 불현듯 한 줄 적어봤습니다.

학교에서 오는길에 기차에서 옆 자리 카이스트 전자과? 2학년 박종운 학생을 전도하며 말씀을 나눴습니다. 지속적으로 기도하며 다시금 주 안에서 만날 날을 기대해 봅니다. 꼭 만날것이라 확신합니다.

지금 이 두 가지를 놓고 지금 계신 처소 어디서든 잠시 중보해 주시기 를 간청합니다. 하나님의 역사를 우리의 기도로 창조해 나갑시다~ 능력이 많으신 하나님을 찬양합니다.
할렐루야~

조혜원_

4

공부는 인생의 전부

방금 72세의 원로장로님과 통화를 했다. 교리사 과제 때문에 문
의를 주셔서 회사에서 잠깐 통화를 했다가 집에와서 다시 통화
를 하게 된것이다. 문의하신 책 구입을 도와드린 후 이렇게 잠깐
글을 남긴다.

장로님께서는 초등학교를 졸업하시고 검정고시로 중등과정 고등과정을 마치셨다 한다. 그리고 영남외국어대학 사회복지학과를 졸업하신 후에 올해 우리 영남사이버대 신학과 3학년으로 편입하셨다한다. 사시는 곳은 우리 학교에서 가까운 경상북도 청도군 화양읍이다. 72세의 연세에 공부를 하시는 장로님은 정말 여러가지로 버거운 조건을 가지고 계셨다. 그럼에도 공부를 해나가고 계신다. 워드도 느려서 과제를 하기도 쉽지 않고 강의를 들어도 돌아서면 잊어버린다 하시지만 그래도 책을 읽어나가며 표시를 해두면서 학업에 임하고 계신다.

장로님을 생각하면 여러가지로 부끄러움이 몰려온다. 더 열심히 학업에 임하는 나이고 싶다. 함께 공부하는 학우들을 더 많이 섬기는나이고 싶다.

김천묵_

김형도 [1410044 (졸업))/ 평택/안중교회]
지난 모임때 교수님이 하신 말씀이 생각납니다.
'공부가 인생의 전부다' 라고 하시면서 사람은 평생을 배우면서 사라야 된다고 하셨습니다. 제가 본 받아야할 덕목이라 생각합니다.

송건호 출업1410035/가나 선교사
공부가 인생에 전부며
배워서 남줘야 합니다.

믿음의 사람들은 배운것을 아낌없이 주는 것이 사명이 되야 할것입니다. 제가 신학을 공부하는 이유도 여기에 있습니다. 가진 물질은 없지만 전부를 드리는 이유도 거저 받았으니 거저주려는 것입니다

5

순교

순교는
내가 예수님과 함께
이미 십자가에 못박혀 죽은 자가
죽음을 확인하는 과정일 뿐입니다.

"내가 그리스도와 함께 십자가에 못 박혔나니
그런즉 이제는 내가 사는 것이 아니요 오직
내 안에 그리스도께서 사시는 것이라
이제 내가 육체 가운데 사는 것은
나를 사랑하사 나를 위하여 자기 자신을 버리신
하나님의 아들을 믿는 믿음 안에서 사는 것이라"
(갈 2:20)

송건호_

권명희 1410026.졸업. 서울임마누엘교회(부목사)
우리 역시 이천년 전에 이미 우리죄를 십자가에 못박았습니다 이제는 새옷을 입고 지금 내가 사는 것은 내가 아니고 오직 예수그리스도께서 사시는 것입니다 ~~아멘! 아멘입니다 ~~우리는 복음의 영화로움을 위하여 달려가야 할것입니다 우리가 순교할 때야말로 주님의 영광을 드러내는 모습이 아닐까요? 주님께 우리의 목숨까지도 드릴 수 있다는 것이 얼마나 값진 보배일까요? 다시한번 주님과 기도의 능선을 구축합시다~~샬롬입니다♡

●순교직전

사랑하는 가족과
믿음의 형제 자매들과의
마지막 안녕을 고하는
이란의 크리스천형제 입니다.

우리도 순교할 상황이오면
저렇게 웃으며 순교할 수 있도록
기도로 준비해야 할것입니다

순교는
내가 예수님과 함께
이미 십자가에 못박혀 죽은자가
죽음을 확인하는 과정일뿐입니다(갈2:20)

6

모든 분께 감사드립니다

참 좋은 사람들과 함께 인생을 살아간다는 것은
참 행복한 일인것 같습니다.

밥은 먹을수록 살이 찐다하구~ 돈은 쓸수록 사람이 빛이나구~ 나이는 먹을수록 슬프지만~ 당신은 알수록 좋아지는 건 비록 돈 한 푼안드는 밴드이지만 당신과 함께한 올 한해 즐거웠고, 행복했기 때문입니다.

한순간 음미하고 사라질 문자일지라도 내 마음에 남은 당신의 온유함과 따뜻함은 2015년에도 기억되고 이어질 것입니다.

당신이 내 지인이어서 참 좋았고 가끔 당신에게 안부를 묻고
이렇게 감사의 마음을 전할 수 있는 삶에 또한 감사드립니다.

얼마남지 않은 2014년...
어슬픈 밴드 대화에도 때로는 어슬픈 우스게 소리도 마음으로 응대해 주신 당신이 있었기에 주위와 나 자신을 다시한번 돌아보게 되네요. 고맙습니다. 밴드에 남긴 문자는 사라질지 몰라도 내 마음에 새긴 당신의 마음은 영원할 것입니다~

내가 아는 모든분과
또한 당신을 아는 모든 분들의 사랑이
11월의 남은날들과 12월에도 늘 함께하시길 빌며
행복하시길 빌겠습니다

올해 남은 날들도 멋지게 마무리 잘하시고~

다가오는 2015년도 당신과 함께
즐겁고 행복한 한해되시길 빌며..
늘~
가정에 화목과
건강이 함께하시길 빌겠습니다

안정희_

7

염치 불구하고

샬롬!!

11월이 하루 남았습니다. 그 말은 11월 30일까지 해야 하는 과제물 제출이 하루 남았다는 말입니다. 한 달 정도 주어지는 과제제출 기간이 해외에 사는 저에겐 무척 숨가쁜(짧은) 기간입니다. 그런데 이번엔 ~~~으 으음!!! 하루 남기고 지금 막 제출했지요(약간의 의기양양한 표정이 보이십니까?)

과제물 나오자마자 ㄱㅊㅁ 선배께 염치불구하고 구매-배송을 부탁했지요. 주저하지 않고 발빠르게 움직여서 책을 보내주신 성의에 보답하느라 저도 게으름 피지않고 서둘러 읽고 오늘 드디어 제출했다는...ㅎㅎ

이제 이틀 연기된 과목을 눈에 불을 켜고 해야겠죠!! 도움을 주신, 그리고 마음으로 격려해 주시는 학우님들께 깊은 감사를 드립니다.

이혜경_

8

차분하고 힘차게

12월의 첫 날 ~~

첫눈이
살랑살랑 바람을 타고 내려오고 있네요^^

첫눈의
설레임과 기쁨
감사함으로
12월을 차분하고
힘차게 시작해요~~

최선자_

9

목사보다 부러운 것

목사보다 강사가 부러울 때가 많습니다. 부교역자로 섬길 때 몰랐던 고통이 담임의 시간이 지날수록 더 힘이 듭니다. 새롭게 등록한 교인의 기쁨보다 함께 지냈던 분의 떠남은 상상 이상의 고통이 있습니다. 평생 을 목회하신 분을 보면 절로 고개가 숙여지는 마음입니다.

1년 동안 고민하던 가정이 이번 주일 예배드리고 떠나겠다고 통보하였 습니다. 말씀은 3년 동안 배웠지만 구체적인 삶의 적용이 아쉽고, 다른 교인들도 움직임이 없기에, 섬길 수 있는 곳으로 떠나겠다고 합니다. 신앙을 버리는 게 아니니 기쁘게 보내야하는데 마음이 심란합니다. 이미 1년 동안 다른 교인들도 그 가정이 힘들어하며 떠날 것 같다고 느 끼고 있었지만 막상 떠나면 모든 책임이 목사에게 있다고 말할 것 같은 두려움도 있습니다.

목회...
가장 가치있는 사역이지만 가장 고통스러운 사역이기도 합니다.
같이 기뻐하듯 같이 아파해야 하기에...
그래도 주님의 도우심을 기대하며 잠을 청합니다.

박인용_

10

정금같이 다시 태어날 것

신학과라는 공동체 안에서 공동체의 지체들과 함께 다양한 과목들을 수강할 때마다 늘 부족한 부분들을 경험하는 우리들이겠지만 돌이켜 생각해보면 하나하나 다시금 새롭게 정립해 나가는 많은 것들이 있다는 것을 느끼게 되는것 같습니다. 그런 의미에서 우리 모두는 주님앞에서 자신의 인생의 역사를 다시 써 내려가고 있다 생각합니다. 주님 닮아가는 모습으로요. 주님 기뻐하시는 모습으로요. 주님께서 사용하실만한 그릇으로요. 그렇게 우리를 빚어가시는 토기장이 이신 주님을 찬양합니다.

학우님들 모두 바쁜 삶의 여정가운데 힘들게 학업에 임하시고 있으리라 생각합니다. 저도 마찬가지이구요... 하지만 우리의 신학함은 우리에게 참으로 유익한 훈련이라 믿습니다. 우리를 훈련의 장으로 인도하신 우리들의 주님께서 우리가 훈련의 모든 과정을 잘 견뎌 정금같이 다시 태어날 것을 기대하고 계시리라 믿습니다. 그분의 기대에 부응하는 우리들이길 소망하고 그렇게 기도하게 되는 밤입니다.

김천묵_

11

어떤 ㅁㅊㄴ

쿼바디스

방금 이수역 아트나인에서 쿼바디스를 봤는데 말입니다. '쿼바디스=한국 교회의 총체적 난국'입니다. 뻔히 다 아는 내용인데도 분노와 슬픔으로 눈물이 다 나네요. 이 영화는 목회자도 목회자지만 성도들이 꼭 봐야됩니다.

생각나는 성경 구절이 있는데요.

"성전에 들어가사 장사하는 자들을 '내쫓으시며' 그들에게 이르시되 기록된 바 내 집은 기도하는 집이 되리라 하였거늘 너희는 강도의 소굴을 만들었도다 하시니라."(누가복음 19장 45~46절)

성도들의 피 같은 헌금을 이용해 자신의 이익을 채우는 종교 장사꾼들을 교회에서 '내쫓는 것'이, 예수님을 따라 사는 성도들이 마땅히 해야 할 일 아닐까요?

귀찮기도 하고 피해를 입을까봐 은혜라는 이름으로 덮는 것이 옳을까요?

작금의 한국 교회는 탐욕스러운 목회자와 그와 별로 다르지 않은 성도들의 합작품입니다. 여담이지만 이 와중에도 어떤 ㅁㅊㄴ은 극장 안에서 한 여성을 성추행해서 난리를 폈네요.

아. 누군가 방해꾼을 심은 건 설마 아니겠지요.

박종안_

 박인용 1310013 / 졸업 / 서울 / 하이살롬교회
존경하는 옥한흠 목사님의 외침이 지금도 귀에 쟁쟁합니다.
예고편만 봤는데 마음이 무겁습니다.

 (알 수 없음)
빛은 어둠속에 있을 때 그 빛의 밝음이 드러납니다 빛이신 예수 그리스도께서 드러나고 빛이신 그분이 너희는 세상의 빛이라고 말씀하신 우리들의 빛(주님의 빛)이 드러날 때가 바로 지금인것 같습니다 지금 그 빛으로 어둠을 밝히고 있는 수많은 주의 제자들이 있음이 희망으로 보입니다 주님의 희망 세상의 희망 주님의 빛 세상의 빛인 우리였으면 좋겠습니다 그런 나였으면 좋겠습니다
주님의 빛이라 말 하는 나~ 나의 빛은 혹 꺼져가는 빛이 아닌지 스스로 점검해 보는 시간입니다~~^♡^

 김종수 2016년 졸업생
사실이 그렇다면 엄청
슬프고 가슴 아픈 일이네요~~하나님은 얼마나 가슴 아파 하실까요~~그래도 희망은 있습니다
영남사이버대학 신학과
같이 건설적이고 올바른
하나님의 가치관을 가지고 주의 종을 꿈꾸는
비전가 분들이 많기 때문에요^^

12

성공에 대하여

우리가 신앙생활을 하면서도 잘못 생각하는 것 중에 하나가 내가 바라고 소망하는 것을 이루는 것이 성공적인 인생이요 성공적인 신앙생활 이라고 생각하는 것입니다. 그래서 내 꿈이 이루어지고 내 소망과 내 비젼이 이루어졌으면 그 인생을 성공적인 인생이라고 생각합니다. 또 그런 인생을 살기 위하여 신앙생활을 하는 사람도 많이 있고, 그런 삶을 조언해 주는 많은 책들이 출간되기도 합니다.

그러나 여러분, 정말 신앙 안에서 가장 성공적이고 올바른 삶을 사는 것은 내 생각과 내 뜻과 내 목표가 이루어지는 것이 아닙니다. 하나님이 우리를 창조하셨습니다. 우리를 지으셨습니다. 하나님이 나중에 우리를 심판하십니다. 그렇다면 내 중심으로 인생을 평가할 수 없습니다. 하나님 중심으로 생각해야 합니다. 내 것이 아니라 하나님의 것이 이루어져야 합니다. 내 중심이 아니라 하나님 중심이 되어야 합니다. 나를 향한 하나님의 목적이 무엇이고 그 목적이 얼마나 이루어졌느냐 하는 것이 진정 중요한 척도입니다.

우리가 인생의 길을 가장 잘 갈 수 있는 것은 내 중심적으로 사는 것이 아니라 하나님 중심으로 사는 것임을 다시 한 번 기억할 수

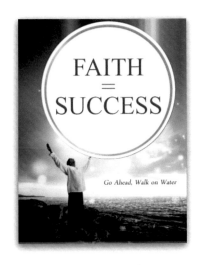

있기를 바랍니다. 내가 얼마나 잘 되고, 내가 얼마나 잘 살고, 내가 얼마나 성공하였느냐가 아니라 얼마나 하나님이 원하시고, 하나님이 바라시고, 하나님이 기뻐하시는 길을 걸어갔느냐 하는 것이 인생의 척도라는 것을 기억하시고 항상 주님의 계획하신 길을 걸어가는 여러분들이 될 수 있기를 바랍니다.

예수님은 언제나 하나님이 계획하신 길을 잊지 않고 그 길을 걸어가셨습니다. 예수님에게 있어서의 분명한 한 가지 원칙은 그 길이 힘드냐? 쉬우냐?, 편한 길이냐 어려운 길이냐, 명예로운 길이냐 창피스러운 길이냐 그것이 아니고 하나님이 계획하신 길이냐 아니냐하는 것이었습니다. 그래서 하나님이 계획하신 길이라면 힘들어도 갔고 멋이 없어도 갔고, 죽을지라도 가셨습니다. 그러나 반대로 하나님이 계획하신 길이 아니라면 아무리 명예스러워도 피하셨습니다.

유종란_

13

끝나기 전에 끝난게 아니다

아름다운 이야기가 있어 함께 나눕니다. 김욱이라는 분은 70세에 빚 보증으로 모든것을 잃고 묘막살이를 했습니다. 협심증까지 얻어 폐인이 되다시피 했지만 15세에 작가의 꿈을 꾼 그는 비로소 번역 작가가 되기로 하고 그는 번역일을 했습니다.

새벽 4시에 일어나 자기관리를 하고 젊은이의 용어를 잃지않기 위해 서 젊은 번역가의 책을 탐독했습니다. 비로소 여든이 넘은 나이에 책 을 냈습니다. 지금 그는 85세로 번역비를 처음보다 2배나 더 받는 유명 번역가가 되었습니다. 그가 번역한 책만도 200권이 넘었습니다.

혈관봉합술을 처음 개발해 노벨 생리의학상을 받은 알렉시스 카렐은 사람의 늙으면 주름이 지는것은 수분의 증발을 막기위함이고 자외선으로 보호받기 위함이라고 합니다. 그리고 몸이 줄어드는것은 뼈가 많은 에너지 소비를 막기위한 자기 생명 보호장치치라고 소개합니다. 그러나 유일하게 자기개발만 열심히 한다면 노화되지 않는 장기는 뇌라고 합니다.

그는 끊임없이 뇌 활동을 해왔고 철저한 자기관리와 어렸을때 꿈꾼 작가 의 꿈을 결코 버리지 않았기 때문에 가능했던것 같습니다. 옛날 수많은 정치에서 물러난 선인들은 비로소 뒷방노인에서 아님, 유배지에서 평소 그가 그리던 꿈을 책으로 글로 실현했습니다. 그것이 지금의 시대 에도 많은 교훈을 줍니다.

그는 그의 책에서 말합니다. 야구의 명언중에 "끝나기 전에 끝난게 아니다"라는 말이 있다. 인생과의 싸움은 끝이 없다. 그리고 패자 도 없다. 내가 인생을 이겨 버린다면 내가 승리자가 되고 내가 인생에 패한다면 승리자는 나의 인생이 된다. 손해볼 것도 없는 이 싸움에서 꼬랑지 말고 도망쳐 숨는다는 것은 말이 되지 않는다.

레위 사람들의 아기와 아내와 아들과 딸들도 족보에 적힌 대로 자기 몫을 받았습니다. 왜냐하면 그들은 성실하게 자신들을 거룩하게 했기 때문입니다. (대하31:18)

김형도_

김성현 1310028(5회 졸업)/부산/부산제일교회
멋지네요!^^

송건호 졸업1410035/가나 선교사
우리 신학과에도 본이 되시는 분들이 계시죠?

14

기회

저희교회 담임목사님께서 주신 2015년 첫 주일 설교의 제목은 <기회> 입니다. <기회>라는 그 제목이 저의 뇌리 속에 계속 아른거립니다. 주일에는 남전도회 회원들과 기회에 대하여 서로 나눔을 갖기도 했습니다.

세상 사람들은 인생에 있어 성공의 기회가 세 번 찾아온다 합니다. 그러나 그것은 하나님의 백성들의 가치관은 아닌듯 합니다. 하나님의 백성들에게는 순간순간의 시간들이 성공의 기회들이라 생각됩니다.

언젠가 윤기봉교수님께서 강의 중에 <나에게는 자유가 있다> 하시면서 자유에 대하여 말씀 하신적이 있습니다. 하나님을 예배할 자유, 하나님을 찬양할 자유, 하나님께 기도할 자유, 하나님의 사랑을 증거할 자유 ~~~~

갈라디아서 성경공부와 마틴루터의 <그리스도인의 자유>라는 소논문이 생각나는 부분이었답니다. 전 하나님의 백성들에게 주어진 기회도 그와 같다고 생각합니다. 지금 나에게 주어진 시간들이 하나님을 예배할 기회, 하나님을 찬양할 기회, 하나님께 기도할 기회, 하나님의 사랑을 증거할 기회라는 사실을 놓치고 싶지 않습니다.

가정에서는 남편으로서 주님의 사랑으로 아내를 사랑할 수 있는 기회, 아빠로서 주님의 사랑으로 아이들을 사랑할 수 있는 기회, 교회에서는 목사님과 성도들을 주님의 사랑으로 섬길 수 있는 기회, 직장에서는 하나님의 사랑을 직원들에게 전할 수 있는 기회, 하나님의 사랑을 보여줄 수 있는 기회...

또한 영남사이버대학교 신학과 학생으로서 지금이 저에게는 공부할 기회이며 주님의 사랑으로 교수님들과 함께 공부하는 학우님들을 사랑하 고 섬길 기회입니다. 신학함이 신앙과 연동되어 삶 가운데 실천해 나갈 수 있는 기회입니다. 그 기회의 시간들을 학우님들과 함께 소중하게 만들어 가고 싶습니다. 사랑합니다 그리고 축복합니다 ~^♡^

김천묵_

15

지금 인생대학 무슨 과에 다니세요?

저는 아직도 광야대학에 다니고 있어요. 성적이 별로 좋지 못해서 입학한지 오래됐지만 아직 졸업을 못하고 있네요. 총장님은 하나님이신데 대충 넘어가시는 일이 절대로 없으신 분이십니다. 그래서 컨닝하는 것도 불가능하고 시험을 볼 때에도 누군가의 도움을 받을 수가 없습니다. 교과목은 기다리는 훈련! 포기하는 훈련! 깨어지는 훈련! 내려놓는 훈련! 순종하는 훈련! 자아죽이기훈련! 하나님만 바라보는, 위로부터 내려 주시는 능력만으로 살아가는 훈련입니다.

학비가 비싸냐고요? 네, 많이 비싼 편입니다. 인생을 모두 걸어야 할 정도이니까요. 학비는 예수님이 내주셨는데요. 저는 죽기까지 순종과 복종하는 학비를 내야합니다. ㅎㅎ 지금 내가 배우고 있는 과목은 버리기입니다. 욕심, 탐심 , 내 고집 ... 내 생각, 인간적인 모든 수단 방법도 버려야합니다. 이번에는 반드시 합격하리라 결심을 하고 도전해 보고 있습니다. 합격하는 자에게는 예수 그리스도, 당신 전부를 성령과 함께 기쁨! 소망 평안! 은혜의 선물이 주어질 것입니다.

황윤숙_

16

그분 어깨에 척 걸쳐 두고

장녀로 태어나 어떤 때는 다 내 잘못인 일도 있으나 어떤 때는 엮인 일도 많습니다. 착한 체하고 혼자 짐지고 가려다 돌아보니 주님이 처리하신 일이었습니다.

어찌나 무거운 짐이던지....   수
십 년 진 짐, 아버지 것이었습니다.

수고하고 무거운 짐진 자들아 다 내게로 오라 내가 너희를 쉬게하리라.. 무겁고 고단한 인생 길 주님께 기댑니다. 아무리 무거워도 허락하실테니 .. 좋은 분이심 고백하지 않을 수 없습니다. 아주 좋으신 분이고 선하시니.

그분 어깨에 척 걸쳐 둡니다. ~~

함복희_

김형도 [1410044 (졸업)]/ 평택/안중교회]
진솔하고 꾸밈이 없는 마음의 글이 감동을 선사합니다.감사합니다. 주님께서 모든 환경들을 선이 인도 하시길 기도합니다.

33

17

남의 말을 하기 전에

어느 날 한 청년이, 무척 화가 난 표정으로 집에 들어와서 화단에 물을 주고 있는 아버지에게 다가 왔다. 아버지! 정말로 형편없고 괘씸하고 못된 녀석이 있어요. 그게 누군지 아세요? 그러자 아버지가 아들의 말을 막았다. 잠깐, 네가 남 이야기를 하려면, 먼저 세 가지를 자문해야 한단다. 어리둥절해진 아들이 다시 물었다. 세 가지라니요?

첫째, 네가 하려는 이야기가 모두 진실하냐? 아들은 머뭇거리며 대답했다. 글쎄요, 저도 전해 들었을 뿐인데요.

둘째, 그 말이 선한 내용이냐? 그 이야기가 진실한 것이 아니라면, 최소한 선한 것이어야 한다. 글쎄요. 오히려 그 반대에 가까운 것 같은데요.

셋째, 그 이야기가 꼭 필요한 것이냐? 아버지의 물음에 아들은, 자신없는 목소리로 대답했다. 꼭 필요한 것은 아닙니다.

그러자 아버지는 환하게 웃으시면서 말씀하셨다. 네가 이야기하려는 내용이? 진실한 것도 아니고, 선한 것도 아니고, 꼭 필요한 것도 아니라면 그만 잊어 버리거라. 또 중요한 것은, 남의 이야기는 그 사람이 바로 옆에 있다고 생각하고 해야 한단다.

타인에 대한 험담은, 한꺼번에 3사람에게 상처를 주게 된단다. 욕을 먹는 사람과, 욕을 들어주는 사람과, 그리고 가장 심하게 상처를 입는 사람은 험담을 하는 당사자란다.

이제 부터는 남의 이야기는 칭찬으로 시작해 보자. 놀라운 일이 생길 것이다. 커피 한 잔의 향기처럼, 향기로운 말로 남의 험담이 아니라, 칭찬하는 그런 하루가 되었으면 좋겠다. 좋은 말은, 좋은 씨앗이 되어서 좋은 열매를 맺는다. 좋은 씨앗을 많이 뿌리는 신실한 언어의 농부가 되자. 오늘도 살아있음에 하나님께 감사드리고, 험담대신 칭찬의 말을 하자. 샬~롬!!

황윤숙_

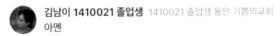
김남이 **1410021 졸업생** 1410021 졸업생 용인 기쁨의교회
아멘

18

화장품 장사

염치없지만 부탁드리겠습니다. 제가 화장품장사를 시작했어요. 한 세 트씩만 주문해 주세요. 부탁 드려요~~!!

[제품 설명서]
주름이 생긴 이마에는"상냥함"이라는 크림을 사용해 보세요. 이 크림은 주름을 없애주고 기분까지 좋아지게 하니까요.

입술에는 "침묵"이라는 고운 빛의 립스틱을 발라 보세요. 이 립스틱은 험담하고 원망하는 입술을 예쁘게 바로 잡아주는 효과도 있답니다.

맑고 예쁜 눈을 가지려면 "정직과 선함"이라는 아이크림을 사용해 보세요. 최선의 효과를 얻으려면 어디를 가든지 그 안약을 소지해야 한답니다.

피부를 곱게 하고 싶으면 "미소"라는 로션을 바르면 피부가 촉촉하고 부드러워지며 거울을 보고 미소 지으며 하루를 시작하면 날마다 행복할 수 있습니다.

가장 이상적인 피부 영양제 화장품은 "묵상"입니다.

아주 효능 좋은 피부청결용 세안비누는 "회개"가 최고라고 합니다.

아, 참~
가장 향기로운 향수로는 "기도"가 제일이랍니다.

마음에 드시면 한 셋트 ... 꼭 구매해 주실거죠^^ 품질은 보장합니다!!

꼭 사시어 2015년에 잘 사용하시고 더 늙지말고 지금의 모습을 간직하고 사시기 바랍니다^^

안정희_

최병영 1210043 김해 졸업
최고의 세일즈맨이십니다
굿!

이혜경 Esther 1310037/졸업/뉴질랜드
저도 염치없이 두어세트 주문합니다. 해외 배송이지만 보내주실거죠??

김은주 1410016 4학년/서울/삼일교회
저는 한셋트로 부족하겠어요ㅠㅠ

19

구걸과 나눔

불가리아 소피아에는 지난해 100세를 맞이한 도브리 도브레브 (Dobri Dobrev) 할아버지가 거주하고 있습니다. 그는 제 2차 세계대전으로 청력을 잃은 후, 매일 하루 25km를 걸으며 돈을 구걸하며 살고 있는데요. 그는 매일 20km 이상 걷고 옷과 신발을 직접 만들며 돈을 아끼고 모았지만, 그의 한달 생활비는 연금으로 받는 10만원이 전부입니다. 조금 이상하게 들릴 수 있겠지만 그는 구걸하며 모은 돈을 자신에게 쓴 적이 없습니다. 구걸로 모은 돈을 전부 고아원에 기부를 하기 때문인데요. 한 번은 구걸로 모은 돈 40,000유로를 기부한 적도 있습니다. 그는 지금도 구걸한 돈을 한 푼도 자신에게 쓰지 않고 매일 고아원에 기부를 한다고 합니다.

그는 불가리아의 Baylove에서 태어났습니다. 그래서 누군가는 그를 ′Baylove의 성인′이라고도 부릅니다. 그의 사심 없는 헌신에 모든 사람들은 그를 존경하고 좋아합니다. 사람들은 그를 ′도브리 할아버지′라고도 부릅니다. 많이 나누는 사람에게 찬사를 보내고 적게 나누는 사람을 속단해선 안 됩니다. 가진 모든 것을 내어 놓았다고 해서 존경하고 나누지 않는 사람 또한 비난해서도 안 됩니다.

나눔 혹은 기부에 있어 가장 중요한 점은 나누는 것의 많고 적음이 아니 고, 그들이 진정 일어서길 바라는 진정한 마음에서 우러난 것인가 하는 진실성일 것입니다.

"네가 더 나이가 들면 손이 두 개라는 걸 발견하게 된다. 한 손은 너 자신을 돕는 손이고, 다른 한 손은 다른 사람을 돕는 손이다."
- 오드리 햅번 -

"격려하는 선물이면 격려하는 일로, 남을 구제하는 선물이면 너 그렇게 나누는 일로, 지도하는 선물이면 열성을 다해, 자선을 베푸는 것이면 기쁨으로 그 선물을 사용하십시오." (롬 12:8, 쉬운 성경)

김형도_2015.2.4.

 송건호 졸업1410035/가나 선교사
이와같이 우리 많은 사람들이 그리스도 안에서 한 몸이 되어 서로 서로 지체가 되었 습니다
(롬12:5, 현대인의 성경)

지체간에 주신 은사를 사용하는 신학과 일꾼이 되시길 소원 합니다.

20

두 손 없는 소금장수

해마다 명절이 되면 충남 서산 일대에 사는 독거노인들 집 수십 채 앞에는 맑은 천일염 30킬로그램들이 포대가 놓여 있곤 했다. 13년째다. 아무도 누군지 몰랐다.. 지난 해에 '범인'이 잡혔다.

"나 혼자 여러 해 동안 소금을 나르다 보니 힘이 들어서.." 읍사무소에 맡기겠다고 소금을 트럭에 싣고 그가 자수했다. 강경환(56) 충남 서산 대산읍 영탑리에서 '부성염전'이라는 소금밭을 짓는 소금장수다. 그런 데 보니, 그는 두 손이 없는 장애인이 아닌가. 손 없이 염전을..?

또 서류를 살펴보니 그는 7년 전까지 그 자신이 기초생활수급자였던 빈 한한 사람이 아닌가.. 자기 앞가림하기도 바쁜 사내가 남을 돕는다..? 소금장수 강경환은 사건이 발생한 연월일시를 또렷하게 기억한다. 1972년 12월 24일 오전 9시 40분.. 1959년생인 강경환이 초등학교 마지막 겨울방학을 맞은 6학년 나이는 13세였다. 서산 벌말에 살던 강경 환은 해변에서 '안티푸라민 통을 닮은 깡통을 발견했다. 나비처럼 생긴 철사가 있길래 그걸 떼내 가지고 놀겠다는 생각에 돌로 깡통을 두드 려댔다. 순간 앞이 번쩍하더니 참혹한 현실이 펼쳐졌다..! 안티푸라민이 아니라 전쟁 때 묻어놓은 대인지뢰, 속칭 발목지뢰였다...

폭발음에 놀란 마을 사람들이 집으로 달려와 경환을 업고 병원으로 갔 다. 사흘 뒤 깨어나 보니 손목 아래 두 손이 사라지고 없었다! 노래 잘해서 가수가 꿈이었던 소년의 인생이 엉망진창이 된 것은... 피를 너무 흘려서 죽었다고 생각했던 소년이 살아났다. 하지만 "남보기 부끄러워서" 중학교는 가지 않았다. 대신에 그 뒤로 3년 동안 경환 은 집 밖으로 나가지 않고 어머니가 밥 먹여주고, 소변 뉘어주며 살았다고 했다. 소년은 고등학교 갈 나이가 되도록 그리 살았다. 인생.. 포기했다.

"어느 날 외할머니께서 돌아가셨어요. 어머니가 친정에 가셨는데, 오시질 않는 겁니다. 배는 고프지... 결국 내가 수저질을 해서 밥을 먹었어요." 3년만이었다. 석달 동안 숟가락질 연습해서 그 뒤로 스스로 밥을 먹었다.. 스스로 밥을 먹고 스스로 혁대를 차게 되었다고 해서 인생이 완전히 바뀐 건 아니었다. "모든 게 귀찮아서 농약먹고 죽으려고 했다. ´열일곱 살 때부터 주막에 출근했다´고 말했다. 아침 10시에 출근해서 밤 12시에 퇴근했어요.〃 주막에 친구들이 많이 있으니까, 술로 살았죠."

어느 날 유인물이 하나 왔길래 무심코 버렸다가 "아침에 유인물을 보니 까 정근자씨라고, 팔 둘이랑 다리 하나가 없는 사람이 교회에서 강의를 한다는 거예요 가서 들었죠. 〃야, 저런 사람도 사는데, 나는 그 반도 아닌데, 이 사람같이 못 살라는 법 없지 않나..."

강경환은 편지를 썼다. "나도 당신처럼 잘 살 수 있나?" 답장이 왔다. 나처럼 잘 살 수 있다고.. 아주아주 훗날이 된 지금, 강경환은 이렇게 말한다..

"손이 있었다면 그 손으로 나쁜 짓을 하고 살았을 거 같다. 손이 없는 대신에 사랑을 알게 되고 마음의 변화를 갖게 되고, 새롭게 살게 되었다."

대한민국에서 장애인으로 산다는 것. 강경환은 훌륭하게 그 방법을 찾아냈다. 술을 끊고, 일을 하기 시작했다. 삽질을 익히고, 오른쪽 손목에 낫을 테이프로 감고서 낫질을 하며 아버지 농사일을 도왔다. 지독한 가난한 집이었다.

1994년, 아버지 친구가 그에게 물었다. "너 염전 할 수 있겠냐?" 이미 1987년 교회에서 사랑을 만나 결혼한 가장이었다. 하겠다고 했다. 피 눈물 나는 삶이 시작됐다. 농사 짓는 삽보다 훨씬 무겁고 큰 삽을 손몽둥이로 놀리는 방법을 익히면서 해야했다.

정상인만큼 일하기 위해 밤 9시까지 염전에 물을 대고, 새벽까지 소금을 폈다. 하루 2시간 밖에 잠을 자지 못했지만 보람으로 일을 했다. ′노력도 노력이지만, 인내라는 게 그리 중요하다는 걸 깨달았다.′

1996년 그 와중에 그의 머리 속에 남을 돕겠다는 생각이 떠올랐으니.. 손을 잃은 대신에 얻은 사랑을 실천하는 방법이라고 했다. "소금 한 포대가 1만원 가량 하는데, 여기에서 1000원을 떼서 모았죠. 그걸로 소금을 저보다 불행한 사람들에게 주는 겁니다."

한 해도 빠지지 않고 올해까지 14년째다. 한달 월급 받고선 고된 일 마다하고 도망가 버리는 대신에 부부가 직접 염전을 지으며 실천하고 있는 일이다. 아산의 한 복지단체를 통해 소록도에 김장용 소금을 30포대씩 보내는 것도 빠지지 않는다.

강경환 그는 말했다. "조금만 마음을 가지면 되는 겁니다. 소금 한 포대 팔아서 1000원 떼면, 5000포대면 500만원이잖아요. 하나를 주면 그게 두 개가 되어서 돌아오고, 그 두 개를 나누면 그게 네 개가 되어서 또 나눠져요. 연결에 연결, 그게 사는 원리지요." 그 나눔과 연결의 원리에 충실한 결과, 2001년 그는 기초생활수급자 꼬리표를 뗐다. 작지만 아파트도 하나 장만했다. 그리고 그는 곧바로 시청으로 가서 자발적으로 기초생활수급자 신분을 포기했다. 수급자 수당 30만원이 날아갔다. 장애인 수당도 포기했다. 6만원이 또 날아갔다.

"나는 살 수 있는 길이 어느 정도 닦아졌으니까, 나보다 더 어려운 사람주라"고 했다. 하지만 여전히 그는 어렵다. 염전도 남의 염전을 소작하고 있고, 여고생인 둘째딸 학비도 버겁다. 손을 내밀라고, 보이지 않는 사랑의 손을 내밀라고. 작년에는 '밀알'이라는 자선단체를 만들었다..

혼자서 하기에는 버거운 일. 그래서 마음 맞는 사람들을 모아서 불우 한 사람들을 더 도우려구요.. "한 30억원 정도 모았으면 좋겠는데.. 그러면 마음놓고 남 도울 수 있잖아요. 지금은 형편이 이래서 돕고 싶어도 어렵고...." 오늘도 부부가 소금밭에 나가서 소금을 거두는데, 손 없는 남편이 능숙하고 진지한 몸짓으로 소금을 모으면 아내는 얌전하게 삽으로 밀대에 소금을 담고, 남편이 그 밀대를 '손몽둥이'로 밀어 소금창고로 가져가는 것이다. 그 모습.. 실로 장엄했다. 그리고.. 너무 '아름다운 마음'을 보았다.

김은주_

21

깊은 사랑에 빠진 나

♡언제부턴가 난 깊은 사랑에 빠져 살아가고있었다 ♡내가 먼저사 랑했고 내가 더 사랑한다고 때론~고백하기도 했었다 ♡그런데.... 난 ~~ ♡매 순간 순간 옆눈을 돌리면서도 배신을 하면서도 당신 만 사랑한다고 고백하고 있었다 ♡47년동안~~~

♡그럼에도 불구하고 나를 잠잠히 기다려주시는 그분은 바보인가 보다 ♡ 사랑에 푸욱 빠진 바보~ㅠㅠ ♡난~~~ 때론 그사랑 들 킬까봐~ 숨기기도 하는데~ ♡한번도 나를 부끄러워 하지 않고 나의 부끄러운 모습을 오히려 감싸주시고 덮어주시는 그분 ♡그분 은 오래 참으시며 끝까지 기다려 주셨다 ♡또한 나를 그분으로 인 해 당당한 사람으로 세워주셨다 ♡이젠 그사랑~ 감추지 않고 ♡ 이땅에 사는 모든 사람들에게~ 고백하리라 ♡나와 그분의 사랑이 야기를~ ♡그분은 ~~바로~~ JESUS!!

22

내가 영사대 신학과에 입학한 이유

영사대 신학과를 소개받고 홈페이지에서 학과 커리큘럼
(curriculum)을 보았습니다. 너무 떨리는 가슴에 그리고 어떻게 해
야할지 조용히 기도하던중 ´처음부터 시작하라´는 말씀에 순종하
며, 신학과 지원서에, 계획하는 사역에 대한 내용을 썼고, 1학년에
입학하게 되었습니다. 하지만 입학하고 보니 그것이 감당하기 쉬운
것들이 아님을 알았습니다. 넘치는 과제들..처음부터 시작하는 그것
은 저를 단련시키는 것이었습니다.

입학하시는 학우님들께 권합니다.

첫번째. 정해진 시간에 성경을 읽으시기 바랍니다. 성경은 매일(2시
간이상) 구약부터 읽기 시작해서 신약까지 읽는데 50일 정도 읽으
면 일독하실수 있습니다. 우리 학과장님께서는 하루에 3-4시간을
읽으면 25일이면 일독하신다고 말씀하시는데 저도 실천해보니 정
말 일독했습니다. 지금도 말씀을 계속해서 읽고 또 읽습니다.

두번째.우리는 신학과 학부생입니다. 개별적 모임으로, 성경에 대
한 말씀공부모임은 안됩니다. 우리는 학부생으로 배우는 학생입니
다. 아직 신학적 정립이 안된 자들입니다. 그러기에 우리를 가르치
실 수 있는 분들은 오직 교수님들 뿐입니다. 그리고 소통의 장은 이

곳 신학과 밴드를 통해서 이루어져야합니다. 우리 신학과에는 현재 목사, 전도사, 선교사 등 많은 분들이 계시지만 모든 분들이 말씀에 순종하십니다.

세번째. 학과 모임에 참석하셔서 친교를 나눠야 합니다. 우리 신학과 모임 때에는 졸업하신 선배님들과 신대원에 진학하신 선배님들이 참석하십니다. 그리고 더욱이 학과장님의 강의가 은혜롭다는 것입니다. 물론 저도 모임엔 참석 못하는 경우가 종종 있지만 특별한 일이 없으면 참석합니다. 그리고 현재 신학과 장학회를 만들어 기금 조성 중에 있습니다. 매월마다 보내주시는 기부금과 후원금으로 어려운 학우들에게 장학금을 전달하는 계획을 갖고 진행중에 있습니다.

네번째. 우리 신학과의 수준은 최고라고 확신합니다. 제가 알고 있는 신학대학교 신학과 학부생보다 우리 영사대 신학과 교수님들의 강의는 신대원 수준이라고 말할수 있습니다. 그래서 어디에 가서도 동급 학년의 신학과 학부생들과의 만남에서도 자신감이 넘칩니다. 그래서 신대원에 진학하신 선배님들이 우리 신학과 학부과정의 깊이가 큼을 알고 후배인 우리들에게 자부심을 갖을 것을 말씀하십니다. 신대원 교수님들께서 학부과정에서 깊게 배운것을 아시고 선배님들께 어느 대학 신학과 졸업했냐고 물으시면 ´영사대 신학과´ 졸업했다고 답변하시면 신대원 교수님들도 우리 학교 신학과를 칭찬하십니다. 물론 우리를 지도하시는 신학과 교수님들께 감사드려야 합니다.

끝으로, 우리 신학과 학부 학우님들은 주님의 심부름꾼이 되어야 합니다. 부르심에 쓰임받기 위해서는 늘 깨어 기도하고 말씀을 주야로 묵상하는 지체가 되기를 소원합니다. 1학년을 은혜가운데 마치며 한해 동안 부족함을 나누고자 두서없이 글을 쓴 점 죄송하게 생각하며 2015년 입학하신 지체분들이 조금이나마 도움이 되셨으면 합니다. 2015년 주님의 은혜가 넘치길 기도합니다.

"그러나 내가 가는 길을 그가 아시나니 그가 나를 단련하신 후에는 내가 순금같이 되어 나오리라" (욥기23:10)

송건호_

권명희 1410026.졸업. 서울임마누엘교회(부목사)
아멘 아멘입니다 ~~너무나 좋은글 제가 이번 훈련을 통해서 3박4일 동안 다른 학교 신학생들과 대화해 보니 신대원 보다 어느 신학 대학 보다 커리큘럼이 아주 좋다는 것을 피부로 느꼈습니다~~~건호학우님 좋은글 감사합니다 그리고 주안에서 늘 승리하세요♡
2015년 2월 14일 · ☺ 표정짓기 · 답글쓰기

이혜경 Esther 1310037/졸업/뉴질랜드
저도 처음 입학할 때 학우님과 같은 고민을 하고 같은 결정했습니다..2년을 마치고 뒤돌아 보니 벅차게 따라왔지만 처음부터 하기를 잘했다는 생각이 듭니다. 아직 남은 4학기 동안에 얼마나 나의 모남을 담고들 채워갈 수 있을지 두렵고 떨리지만 그만큼 기대도 됩니다. 그 길 위에 함께 독려하며 가기를 원합니다

송호진 (1510005/졸업/충북/조원중앙교회)
감동입니다.ㅠ

23

오해

하나님이 나를 너무 사랑하심으로... 나를 더욱 더 주님의 형상과 닮게 하시기 위해 나의 모난 부분들을 깎으실 때... 하나님은 그것을 '사랑' 이라 부르시지만, 나는 그것을 '고난' 이라 부릅니다.

하나님이 나를 너무 사랑하심으로 나를 아버지의 나라로 인도하시기 위해 낮은 마음과 넓은 마음을 갖게 하시려고 좁은 길로 인도하시는 것, 하나님은 그것을 '은혜' 라 부르시지만 나는 그것을 '연단' 이라 부릅니다.

사탄이 나와 하나님의 관계를 질투하여 나를 하나님에게서 멀어지게 하기 위하여 나에게 물질의 부함과 세상의 즐거움을 풍족히 불어 넣어줬을 때, 하나님은 그것을 '시험'이라 부르시지만 나는 그것을 '축복' 이라 부릅니다.

세상의 기준과 세상의 시선으로 하나님의 일들을 바라보기에 나는 하나님의 뜻을 알지 못한 채 그렇게 하나님의 계획과 뜻을 오해하고 잘못 받아들일 때가 많습니다.

하나님의 시선으로, 하나님의 기준으로, 아버지의 계획하심과 뜻하심을 깨달을 수 있도록... 주님께 아버지의 지혜를 구하고 나의 아둔하고 어두워진 눈을 밝혀달라고 간절히 기도합니다.

간혹 내가 이해할수 없는 일들로 인해 마음이 무너질 때도 있겠지만, 그 분은 이해 할 대상이 아니라 믿어야 할 대상이기에, 늘 하나님과의 시선 맞추기를 게을리하지 않기를...

우리는 모두 건망증 환자라서, 자꾸자꾸 들려주지 않으면 까먹고 맙니다. 겨울이 가고 새봄이 성큼 다가올 이 계절... 내 맘은 한없이 가라앉아 먹먹해질 때...

눈을 들어 우릴 사랑하시는 그분을 바라봅니다.

이주호_

황미연 졸업생 서귀포강정교회
마자요~~하나님을 사랑한다구 하면서 우린 얼마나 많은 오해속에서 살고있는지 알게됩니다 하나님에 대한 오해를 하나씩 하나씩 발견할때마다 그분께 한발자국 더 나아가 있는 자신을 발견하게 됩니다^^ 즐건 설~ 되세요♡♡

함복희 1410099 4학년/ 안양
맞습니다.우리는 시험이라 생각하고 꼼짝달싹 안하려 듭니다. 지나고보면 나를 키우시는 과정인데도요.. 부족하지만 주의 성전문지방에 엎드리고 또 엎드립니다~~

심언선 1410041 졸업 봉화오전교회
주님은 늘그자리에 계시지만 우리마음이 요동하지요 우리는 주님이가신 그길을 따라갈때 하나님께 가까이 가는길이라고 생각합니다^^~

24

학위수여식

2015년 2월 28일 토요일~ 우리 영남사이버대학교 신학과 선배님들의 제3회 학위수여식에 함께 했습니다. 대전에서 오전 10시경에 출발해서 학교에 도착하니 12시 10분~ 먼저 학교전경을 여러 모습으로 사진에 담아 보았습니다.

오후 2시에 시작된 학위수여식~ 학위수여식을 마친 후 도서관 옆 강의동 3층에서 졸업감사예배를 드렸습니다. 요한복음 13장 36~38절을 통해 '성숙한 그리스도인의 자기관리'란 제목으로 윤기봉교수님께서 설교를 해주셨습니다. 설교말씀을 통해 저에게 주신 은혜는 신학을 함에 있어 더욱 겸손해야 한다는 것이며 학부에서 신학의 과정을 마친다해도 역시 겸손해야 한다는 것이었습니다.

파송의 노래를 함께 부르며 선배님들을 축복하고 교수님의 축도로 예배를 마쳤답니다. 예배 후 케익을 커팅하고 미리 준비한 다과와 함께 교제를 나누었습니다. 끝까지 함께 해주신 윤기봉 교수님께 감사를 드립니다.

오늘 졸업을 하신 우리 신학과의 모든 선배님들~ 사랑하고 축복합니다. 그리고 감사합니다. 선배님들의 걸어가시는 길속에 주님의 동행하심이 늘 함께하시길 기도합니다. 앞서서 길을 걸어주셨기에 후배들이 또 열심히 그 길을 따라서 갑니다.

동문회 회장님이신 박종안선배님과 지난 해 1학년 과대표로 섬겨주신 임태현학우님께서 함께 해주셔서 정말, 감사했습니다. 특별히 임태현 학우님의 아내되시는 집사님께 감사의 인사를 드립니다. 모임 후 뒷정리까지 함께 해주셔서 얼마나 감사했는지요~

모든 뒷정리 후 임택현학우님 가정과 식탁교제를 나눈 후 대전으로 돌아왔습니다. 샬롬!!

김천묵_

25

태백에 들러

강원도 태백에 볼 일이 있어 갔다가 지난 2월에 우리 신학과를 졸업한 김순옥자매님이 운영하시는 사업체에 예고도 없이 잠깐 들렀습니다.

지금까지 인도하신 하나님의 사랑과 은혜에 대한 귀한 간증을 듣느라 시간 가는 줄도 몰랐습니다. 너무 소중한 만남이었습니다.

사랑하고 축복합니다.

윤기봉_

26

봄이 오는 소리를 들으려면

봄이 오는 소리는 눈을 열어야 들립니다. 막힌 귀와 눈이 열려야 참되고 아름다운 세상을 듣고 볼수 있습니다. 어느새 찾아 온 새로운 계절을 누리며 살아야겠습니다.

믿음으로 사는 것도 그러한 것입니다. 열려 있는 새하늘과 새땅을 누리며 과거형도 미래형도 아닌 현재 진행 중인 참 세상을 감사함으로 살아갑니다.

"하나님이 세상을 이처럼 사랑하사 독생자를 주셨으니 이는 그를 믿는 자마다 멸망하지 않고 영생을 얻게 하려 하심이라" - 요3:16

김용한_

김순옥 1310036 졸업 (태백, 황지교회)
너무 행복해지내요~~.^^
설레이기도 하고... 감사합니다 ~.
여긴 며칠 전 눈이 왔는데....

27

해병대교육훈련단교회

선지동산의 학우 여러분들에게 중보기도 요청합니다. 해병대 교육 단교회에서 4월 4일 토요일 2시에 기독교, 천주교, 불교 3개 종파 간 성례식이 진행됩니다. 대상은 훈련병 1195기 1200명 대상입니다.

불교의 공격적인 포교로 3월에는 38% 세례를 주었습니다. 늘 항상 50%이상의 형제들에게 세례를 베풀었는데 3월에는 너무나 저조한 세례였습니다. 세례받은 형제들은 대부분 실무배치를 받으면 배치된 부대에서 신앙 생활을 합니다. 그러기에 세례가 너무나 중요합니다. 마음모아 기도해주시기를 부탁드립니다.

4월 18일 토요일 2시에도 3개종파간 성례식이 있습니다. 대상은 훈련병 1196기 약 1200명, 장교 후보생 사후 118기 약 125명, 부사관 후보생 353기 약 120명, 모든 기수마다 70%이상 세례받고 하나님의 아들들로 세워질 수 있도록, 믿음의 사람들 될 수 있도록, 그리스도의 군사들로 세워지도록 중보기도 부탁드립니다.

모두 모두 사랑하고 축복합니다.

최경자_

조혜원/전교운본부교회 놀라운 사랑
얼마나 귀한 사역을 하고 계시는지 정말 아름다운 섬김의 모습 도전이 됩니다^^
모쪼록 실무부서에서 더 깊은 신앙으로 성장하여 동료장병에게 축복의 통로로 세워지기를
기도하며 축복합니다~^.^

박 창구 151006 경남 마산 예항교회 담임목사
사명 감당하시는 모습
보기 좋습니다
임마누엘

김형도 [1410044 (졸업)/ 평택/안중교회]
복음의 영적 싸움에서의 승리와 성령님의 특별하신 역사를 기도합니다~^^

임춘희 1510057(졸업.올진구산중앙감리교회)
십자가 군병들을 위해 기도합니다.
훈련생으로 있을때 ~
하나님의 뜨거운 은혜를 체험하는 훈련병들을 많이 보았습니다.
귀한 사역위에 주님의 은총이 늘 함께하기를 기도합니다.

28

눈물이 핑~ 돌았어요

오늘 아침 우리집 동네~ 버스정류장 앞에 활짝핀 벚꽃나무 한그루를 보면서 눈물이 핑돌았다. 겨울내내 썩어져가는 나뭇가지가 추운겨울을 넘기지 못하고 죽을거라고 생각 했는데~~ 갑자기 ~~ 우리의 속모습과 겉모습을 생각해 보았다 ~~ 썩어져가는 나무가지~~

몸통이지만 아름다운 꽃을 피우는 모습을 보면서 갑자기 예수님 생각이 났다. ~ 나무 벌레 때문인지는 모르지만 썩어져 가는 나무 몸통이 얼마나 아플까? ~~하지만 체념한 듯 봄을 맞이하며 아무렇치 않는 듯 자태를 뿜어내는 모습에 ~~예수님의 마음도 이럴께 찢어질까? ~학우님들 ~혹시 누가 이 벚꽃 나무 치료하는 방법 아시면 "꼭" 좀 알려주세요 ㅠㅠ ~~♡ 제가 아픈 상처 치료 해주고 싶어요~♡♡♡

권명희_

김금성 졸업생
마음이 예쁘네요.

29

손가락 굳은 살

고3 딸 새끼 손가락의 굳은 살에 맘이 아픕니다. 얼마나 많은 글씨를 쓰기에 저토록 굳은 살이 베겼나 안쓰럽습니다. 학원이라곤 중3학년말고사 이후 수학학원 4개월 다닌것이 전부인 딸은 정말 성실히 잘 해내고 있습니다. 학교에서 밤12시까지 공부하고 저는 그때에 맞춰 태우러 갑니다. 집에 와서 간단한 간식과 대화를 나누고 씻고 나면 2시 넘어 잠들기 일쑤네요. 주말과 휴일이 따로 없습니다. 꼭 저렇게 까지 해야하나 싶고 안타깝지만 우리의 현실이 안타까운것과 상관없는것 같습니다. 그런 딸을 보며 대견하기도 하지만 시험기간에도 열심을 내지 못하는 엄마는 부끄럽습니다

우리 딸 영성과 지성 인성을 고루 갖춘 믿음의 자녀로 하나님 영광을 드러내고 선한 영향력을 미치는 자로 인도함 받길 기도하고 있습니다. 학우님들 혹여라도 생각나시면 기도해주시어요. 저의 딸아이 뿐만 아니라 다음세대를 품고 기도해주시어요~.

황윤숙_

30

필리핀 빈민봉사 3일째

필리핀 빈민 봉사 3일째 원주민 보호구역 이며 반군전투지역이라 항상 위험과 굶주림으로 살아가는 도움이 필요한 필리핀 아이타원 주민입니다.

성인 남자 키가 150cm 밖에 되지 않고 외모는 아프리카인의 모습 입니다. 불쌍한 이들에게 사랑을 전달할수 있는 기회를 주서서 감사 가 되어집니다. 하나님의 사랑으로 이들을 품을수 있기를 기도합니 다.

오익환_

김광수 1410081/ 졸업생 / 김포/제일성결
성령님의 인도하심 속에 귀한 사역 잘 감당하시길 기도 드립니다.

박미숙 졸업생
귀한 사역 감당하실 때
성령의 역사가 충만하길
기도합니다.

31

좌우의 날선 검

하나님의 말씀이 여러분에게 가까이 다가오고 여러분의 마음을 감동시킬 때, 그 입에서 좌우의 날선 검이 나오는 분, 그분이 바로 예수님이심을 기억하십시오 - 앤드류 머레이 -

밑줄친 내용 되새김 질 하다가 공유합니다.

백현규_

(알 수 없음)
백현규선배님~ 엔드류머레이 목사님의 책들 저도 좋아합니다 십자가의 보혈이란 설교집이 기억납니다 선배님이 읽으시는 책 저도 읽어보고 싶습니다^♡^

32

총학생회장 신학과 김천묵 형제

오늘 우리대학 총학생회장인 김천묵 형제와 총무 송건호 형제 그리고 부장 박길호 형제와 부회장인 실용영어학과 최윤영 자매를 학교에서 만났습니다. 우리 신학과가 생긴 이래 처음으로 총학생회장이 신학과에서 선출되었습니다. 우리 대학의 학과장 교수님들과 함께 식사 자리를 마련했습니다. 위해서 기도해 주시기를 바랍니다.

윤기봉_

33

우리 학교

송건호_

34

어머니

나에게 티끌 하나 주지 않은 걸인들이 내게 손을 내밀때면 불쌍하다고 생각했습니다. 그러나 나에게 전부를 준 어머니가 불쌍하다고 생각해본적은 없습니다. 나한테 밥한번 사준 친구들과 선배들은 고마웠습니다. 답례하고 싶어서 불러냅니다. 그러나 날 위해 밥을 짓고 밤늦게까지 기다리는 어머니께 감사하다고 생각해본적은 없습니다.

실제로 존재하지도 않는 드라마속 배우들 가정사에 그들을 대신해 눈물을 흘렸습니다. 그러나 일상에 지치고 힘든 어머니를 위해 진심으로 눈물을 흘려본적이 없습니다. 골방에 누워 아파하던 어머니 걱정은 제대로 한번도 해본적이 없습니다. 친구와 애인에게는 사소한 잘못하나에도 미안하다고 사과하고 용서를 구했습니다. 그러나 어머니에게는 잘못은 셀수도없이 많아도 용서를 구하지 않았습니다.

죄송합니다. 죄송합니다. 세상의 어머니는 위대하기에 어머니를 생각하며 이 글을 올립니다... 사랑합니다...어머니.

장원진_

35

힘 빼세요.. 힘 빼세요...

오늘도 물리치료를 받으러왔습니다. 목을비틀기도하고 허리를 비틀기도하고... 그럴때마다 목뼈가 뚜둑거리기도합니다. 등을 누를 때는 숨쉬기가 힘들어서 얼굴이 빨개집니다. 어떤 기계는 아픈 부위에 닿을 때마다 통증이 말할수없이 옵니다... 치료 중에 물리치료사의 말 한마디가 마음에 남습니다. 힘 빼세요...힘 빼세요...

우리 자아가 강한만큼 우리를 만지시는 주님께서도 힘드실 것 같다는 생각이 듭니다

성혜란_

 최경자 1304072 졸업생 해병대교육훈련단교회
하루 빨리 치료되시길요
우리를 치료하시는 여호와 라파의 주님께서 머리끝에서 발끝까지 만져주시고 회복시켜주셔서 강건케 되시길 기도해요~♥

 이재욱 1510008 / 1학년 / 김포전원교회
우리 신학과에는 온통 제가 본받을 분들밖에 없는듯 합니다. 쾌차하시기 바랄게요.

 이동주 1410071졸업생 일본 야마토사랑선교회교회
어떤 연유인지 모르지만 참 힘들겠군요. 주님의 선한 은혜가 치유의 손길이 되길 바랍니다. 마침 아들도 팔이 골절되는 사고가 있었기에 더욱 안타깝게 다가오네요. 힘내세요 성혜란 학우님

36

제주 리트릿

제1회 제주 리트릿~ 교수님께서 설명해주신 대로 리트릿은 재충전을 위해 **바쁘고** 격렬한 일상생활에서 벗어나 누리는 쉼을 가리킵니다. 그리스도인의 리트릿은 인격적이고 살아계신 하나님과 특별한 데이트를 하는 시간입니다. 회복을 위한 휴식의 시간이요, 재충전의 시간이며, 자기성찰의 시간입니다. 영적으로 육적으로 힐링의 시간입니다.

2박3일의 여정이 정말 그러했습니다. 재충전의 시간이었고 오랫만에 가져본 여유로운 쉼의 시간이었고 회복의 시간이었고 자기성찰의 시간이었고 힐링의 시간이었습니다. 교수님과 학우님들과의 만남이 너무도 기뻤습니다. 같은 공간에서 함께 숨을 쉬고 함께 하나님을 예배하고 함께 식사를 하고 함께 교제를 나눔이 얼마나 큰 기쁨이었는지요!! 하나님의 말씀을 대할 때 하나님안에서 자신을 다시금 발견하며 눈물짓는 학우님들이 너무도 아름다웠습니다. 스승의 은혜를 감사하며 깜짝이벤트를 준비하던 우리의 모습~ 교수님의 눈에 글썽이는 눈물~ 너무도 아름다운 광경이었습니다. 밤새도록 이어졌던 대화의 장~ 하나님께서 우리들 각자에게 어떻게 역사하고 계신가를 알아가는 시간이었고 하나님의 다양한 역사를 경험하는 시간이었습니다.

어느새 2박3일의 모든 여정을 끝내고 헤어지기 아쉬워 서로를 힘껏 안아주었던 그 모습은 잊을 수 없는 아름다운 광경입니다.

모든 일정을 예비하시고 인도해주신 하나님께 감사를 드립니다. 교수님과 참여해 주신 모든 학우님들께 감사를 드립니다. 박길호 학우님과 제주지역의 학우님들께 감사를 드립니다. 그리고 기도로 물질로 후원해 주신 선배님들과 학우님들께 감사를 드립니다. 모든 영광 우리들의 하나님께 올려드립니다. 토요일 저녁 7시가 조금 넘은 시간에 대전에 도착했지만 주혁이와 은혁이를 씻기고 재워야 해서 좀처럼 시간이 나지 않았고, 주일밤인 지금에서야 저의 시간을 갖을 수 있었기에 밴드에 들어와 글을 남깁니다.

김천묵_

제주 리트릿 2박 3일동안 은혜와 감동의 행복한 소중한 만남이었습니다. 회장님과 제주 신학과 학생분들과 윤기봉교수님께 무한 감사를 드립니다. 황금례 학우님과 은혜받고 돌아가는 비행기안에서 옆자석에 앉은 50대의 한 여인! 성령님은 그녀가 무속인이고 어제 제주 한라산에서 굿판을 벌이고 돌아가는 중에 신학과 학생이며 전도사인 저를 만나게 하셨네요.은혜받고 돌아가는 신학교전도사와 귀신들려 한판 굿판을 벌이고 돌아가는 무속인과의 운명적인 만남~에궁

보이지 않은 영적인 전쟁이었습니다. 귀신에 꽉 붙들려 살아가는 기구한 여인의 인생이 불쌍한 마음이 들었습니다. 37살에 무속인이 되어 57살이라고 했으니 20평생을 귀신에 놀아난 불쌍한 여인.. 전도사라는것을 밝히고 연락처를 전해주었습니다. 장은주무속인을 위해 기도해주시기를 부탁드립니다. 꼭 부탁드립니다. 포항에서도 따르는 제자가 있다고 하며 전도하려면 하라고 말하는 장은주 무속인과 그를 따라 무당이 되려고 하는 젊은 청년을 하나님께서 꼭 구원에 은총을 베풀어주시고 모든 악한 영은 떠나가고 그 속에 복음이 심기워지고 진리가운데 자유함을 얻도록.. 딸의 사진을 보여주었는데 안따까운 것은 딸도 악한 영에 사로잡혀 있던 얼굴이었습니다. 주님을 만나진정한 자유함 속에 진정한 평화를 누리게 되기를 기대하며 그들을 위해 기도하려고 합니다.

긴 글 읽어주셔서 감사하고 모두들 평안하게 돌아가시기를 바래요. 사랑하고 축복합니다.♡♡♡

최경자_

 최병영 1210043 김해 졸업
최경자 학우님!
제주도에서 영성과 힐링이 함께 어우러진 좋은 시간이 되었 을줄 압니다!
이제 일상으로 돌아가시면서 하나님의 전도사역을 잊지 않으시는 모습에 감동을 받습니다!
장은주 무속인과 그 딸이 악한 영에서 놓여나기를 기도합니다!
하나님! 그가정에 하나님의 영이 임하게 하셔서 하나님을 영접하여 믿게 하소서!
아멘......

권명희 1410026.졸업. 서울임마누엘교회(부목사)
김포공항에 머물면서 학우님의 글 속에서 저의 옛 모습이 보였습니다 ~~정말 무속인의
말로는 비참한 생을 마감한다는 것입니다 그들 자신들도 그것을 알고 있지만 악한 영의 되
물림과 보복으로 ~감히 그 굴레에서 벗어나지 못하는 ~두려운 마음으로 살아 간다는 이
야기를 들었습니다 ~~그래요 그들의 영혼을 위하여 기도해야겠죠? 오늘도 여러가지 모양
으로 그들의 세계를 하나님께서 정복하시기를 기대합니다 ~~조심해서 들어 가시기 바랍니
다~ ~♡♡♡

 황금례01075255421 포항 졸업생
하나님과 함께하고 돌아가는 저에게 주시는 은혜의 선물은 언제나 마련 되어 있네요 은혜
로운 동역자와 주님의 십자가를 함께 지신 교수님 그리고 좋은 날씨 이제 경주를 지나 돌
아가는 길 나에겐 영적 큰일을 하고 가는 발길인 만큼 주님의 역사도 함께 있으리라 믿습니
다 학우님들 너무 은혜로운 제주모임에 감사 드립니다 그리고 축복합니다

민경태 1510065 5회졸업 규연중앙교회
2015년 5월 17일 오후 10:52

감사합니다😂
축복합니다😀
사랑합니다☺
어떤 말로 설명할 수 없는 시간 이었습니다.
오늘 예배 드리는데 왜 이리 하염없이 눈물이 나는지...

제주 리트릿을 참석하고 나서 가장 깨달은 것은 ´신학과 모임은 무조건 전부 다 참석하는 것이 좋다´입니다. 그것이 학교를 무사히 졸업하고 온라인 수업이라는 약점을 보완할수 있는 가장 좋은 방법입니다. 학과 공식 모임에 참석하는 것은 누구의 권유나 강요가 아니고 자신의 선택입니다. 내가 가면 아는 사람도 없고 반겨줄 사람도 없는데! 라는 생각이 들 수도 있지만 그런걸 극복하기 위해서 참석해야 한다고 생각합니다.

우선은 소속감이 생기고 학우들과의 유대관계가 생깁니다. 거기에 추가로 학교에 대한 애정도 생겨서 성적도 오를수 있고 좋은 정보도 공유할 수 있게 되어 비전을 가질 수도 있게 됩니다. 이번 제주 리트릿에 함께 못한 학우님들은 다음에 교수님께서 기회를 만드신다면 무조건 참석하시면 좋을거 같습니다.

최돈명_

37

미안하다 친구야

밤 세 잠 못 이루고 새벽에 기도하면서 펑펑 한없이 울었다네. 지금도 손수건을 젖서 가며 흐르는 눈물 주채 못하네. 4월30일 윤기봉교수님하고 친구를 만난 것이 마지막이 될지 누가 알았겠나. 그때 그 모습이 선하네. 금방이라도 일어날 것만 같던 친구가 아니었는가. 이럴 줄 알았다면 자주 찾아 갔어야 했는데... 후회한들 무슨 소용 있겠나.

장로 직분으로 영사대에서 함께 공부하며 유난히도 친했던 우리사이. 서울지역모임과 동문회 모임을 주도했던 친구야. 졸업을 하고 대학원은 다르지만 학구의 열심은 같았었지. 이럴 줄 알았으면 같은 학교에 진학해서 물 불 가리지 않는 친구의 열정을 잠시 내려놓게 할 걸..

친구의 말이 생각이 나네. "키가 작지만 왜 그렇게 다른 사람의 눈에 잘 띄는지'라고 너털 웃음을 짓던 그 모습 말 일세. 사람을 어찌 외모를 보겠는가. 친구의 그 모습.. 아담하고 여물고 유머 있고 모든 걸다 갖춘 하나님의 사람이었지. 하나님을 위해서 자신의 몸을 불사르게 내놓고 헌신한 친구를 보신 하나님이 하늘나라에서 급하게 필요해서 불으시지 않으셨을까? 유족에게는 미안한 말이지만 말일쎄.

친구의 하나님을 향한그 열정 하나님이 인정하시다시피 우리는 친구의 뒤를 이어 못 다한 주의일 우리가 감당하겠네.

5월 9일 동문회 선교사 파송예배에 참석하겠다던 친구야. 더 심하게 아픈 줄도 모르고 전화하고 문자를 보냈지만 소식이 없어서 회복되고 있는 줄만 알았다네. 그 뒤로 17일 본 교회에서 파송예배후로 오늘 친구를 찾아가려는 참이었는데 그만 이렇게~~

친구야 미안하다.. 정말 미안하다. 얼굴 한 번 더 보고 못다 한 정 나눌 것을 후회하고 후회 하네. 자네가 못다한 주님의 일 우리가 감당해 나가겠네. 6월 2일밤 12시40분 요르단 선교지로 떠나네. 그곳에서 자네 몫까지 주의 일 다할께. 하늘에서 휴식 취하면서 주의 일을 감당하는 영사대 건아들과 그리고 나의 사역을 위해서 기도 부탁하네.

잘 가게 ~~
천국에서 다시 만나세

박종안_

 박상준 1210036 /졸업 /동두천 참좋은 교회
갑작스런 마전도사님의 소식에 놀랐습니다
누구보다도 가족들과 박장로님께서 슬픔이 크실
줄로 생각합니다
애도를 표합니다
전 퇴근후에 문상토록 하겠습니다
9:30분경으로 예상됩니다

38
많이 울었습니다

엊그제 주일 예배에 가슴이 뭉클해서 많이 울었습니다. 10년간 전도한 교회에서 제일 가까운곳에 사시는 할머니가 예배 도중에 들어오셨네요. 너무 감사해서 나도 모르게 눈물이 왈칵~~

행사때마다 반찬과 떡을 동네에 돌리며 10년간 반복했습니다. 참으로 냉랭한 동네라고 생각하고 올해는 꼭 떠나게 해달라고 기도했습니다. 성도 하나없이 개척해서 벌써12년.

많이 예배드릴때는 20~30가량 되었는데 다 떠나고 세가정 10명 정도가 예배드렸습니다. 한 영혼을 귀히 여기시는 주님의 사랑과 저희를 위로하시는 주님의 마음을 느끼며 가슴이 찡했습니다. 교회에 정착할수 있기를 기도해주시면 감사하겠습니다~♥

임춘희_

장숙향 목사 (진해 방주교회) 1410024 진해 방주교회 목사
임춘희 기도 했습니다~한 영혼이 얼마나 소중한지요~10년을 섬긴 섬김의 열매가 그할머니를 시작으로 계속 이어지기를 그리고 정착이 되기를~~힘내세요~^^

최경자 1304072 졸업생 해병대교육훈련단교회
함께 기도하겠습니다.
할머니가 너무너무   귀합니다. 주님만 섬기시고 사랑하시는 아름다운 삶이시길 기도합니다.
구산감리교회가 좋은 소문이 많이나고 성령님의 역사하심으로 새 가족이 매주일마다 더해지는 교회되기를 함께 기도합니다.
학우님!
힘내세요 !!!

김학진 1510045/졸업/부산/부산충은교회
글을 읽는데 저도 눈물이 나네요.. 한 영혼을 향해 포기하지 않으시는 마음 너무나 귀하십니다. 기도로 함께 하겠습니다!!

희~^^ 1(졸업)/
학우님의 눈물을 보시고 주님께서도 기뻐하셔서 학우님과 같은 기쁨의 눈물 흘리셨을거예요~ 주님의 일하심이 이제부터 시작이신것 같네요 ^♡^기도합니다~~죽어가는 영혼의 구원에 방주가 되기를

김형도 [1410044 (졸업)/ 평택/안중교회]
성령의 위로하심과   역사하심을, 그리고
할머니가 교회에서 따뜻함과 편안함을 느끼길 기도합니다.

황윤숙 1410069/졸업생/창원세광교회
눈물이 납니다 할머니도 귀하지만 학우님의그 오랜 기다림과 섬김이 감동이며 제 모습을 돌아보게 합니다

오익환 영남사이버대학교 신학과
그 마음을 주님께서 위로 하시고 항상 함께 하시길
기도합니다

39

페르소나

사전에서는 이를 '자유 의지와 이성을 갖추고 있는 독립된 실체'
라고 정의합니다. 연극에서는 가면을 뜻하기도 하고 철학이나 인
문학, 심리학에서는 동일한 한 객체가 상황에 따라 서로 다른 여
러가지 내면을 표출하는 현상에 인용하기도 하죠. 알고 보면 탐사
보도나 현장취재 정도의 의미를 가졌을 뿐인 불어 '르포르타쥬'
라는 단어가 우리나라에서는 얼핏 일부 식자(로 불리는 자)들의
전유물로 여겨지는 것과 마찬가지이기도 하리라 생각되기도 합
니다.

제가 신학을 공부하기로 한 까닭은 성경 속의 말씀을 나 자신의
확고한 믿음으로 세우기 위한 것을 그 출발점으로 합니다. 비록
지금은 나의 이성과 감성으로 그 전부를 이해하지는 못하고 불기
둥과 음성으로 하나님의 말씀을 직접 듣지도 못했으며 부활하신
예수님의 모습을 직접 대면하지도 못 한, 성령님의 인도하심과
도 무관한 삶을 살아왔던 모습을 고백할 수밖에 없는 저로선 내
게 의문으로 남겨진 것들에 대한 새로운 배움의 시간들이 필요했
고 그 자연스런 결과물(경과물이라 해야 정확한 표현이겠군요)
이 '신학을 공부함'으로 드러나 있는 상태입니다.

제 외가는 유교적 전통(그냥 한국적인 관습이라고 하는 편이 낫겠습니다)을 가진 집안이었고 친가는 조모께서 들어오심으로 인해 기독교화 된 집안이었습니다. 선친은 오랫동안 크리스찬이었다가 불교로 개종하셨고 모친께선 선친의 행적을 따라 밟으시다 지금은 천주교 신자가 되셨죠. 모친의 이웃 중에 포교원을 하시는 스님들도 계시기에 저는 그 분들과 얘기할 기회도 종종 갖는데 스님들은 세상 모든걸 포용하고 있는 그대로 받아들이는 태도를 지니고 있습니다. 그 분들의 말씀을 들으며 배우기도 하고 때론 그 경륜과 ′내려놓음′에 대한 존경심이 일기도 합니다. 그러나 그런 동안에도 제 마음이 편치만은 않고 그 ′선한 분들에게′ 하나님을, 예수님을 알리고자 하는 마음이 있습니다. 그러한 마음은 있으나 제 지혜가 딸리고 지식이 모자라며 인생경륜 또한 비할바 되지 못함을 탄식하고 상처를 주고받지 않는 선에서 인생 이야기를 마무리 지을 따름입니다. 그저 그런 정도의 어정쩡한 모습이죠.

이제 한 학기가 끝나가고 교수님들로부터 이미 많은 것을 배웠습니다. 이미 익히 알고있는 내용을 진부하게 늘어놓는 강의도 있습니다만 저로 하여금 성경문구에 대한 생각이 변하고 새로운 시각으로 받아들일 수 있게 한, 큰 소득을 얻은 강의들이 더 많습니다. ′이래서 배워야 하는구나′ 싶은 마음이 들죠. 다른 학과는 어떤지 모르겠습니다만 영사대의 신학과 교수님들만큼은 ′하이퀄리티′임에 분명해 보입니다. 올 해 초 신학에 입문하면서 제 스스로 달라진 점이 있다면 ′말이 조금 줄었다′는 것이었습니다. 내가 몸담고 있는 정치나 사회, 문화에 대한 기사와 비평, 실생활에 있어 그 장소에 구애받지 않고 한 치의 망설임 없이 ′내 생각′을 내뱉고 그 생각이 옳다는 독선적인 주관을 가진 성격이었습니다. 그런 모난 성격이 하나님 말씀을 조금씩 배워가면서 바뀌어가고 있다는 느낌을 받았고 스스로 '이제 철드는구나'라고 여기며 대견해하고 있었는데 이는 섣부른 오판이었고 자기만족이었습니다. 저에게 있어 '신학함'이란 학위도 그 무엇도 아닌, 하나님의 말씀을 올바로 배워서 깨우쳐 알고 흔들리지 않고 이를 '믿으며' 내 생애의 '동아줄'로 삼고싶은 바람 그 이상도 이하도 아닙니다.

다양한 링크와 삶의 모습을 전하는 글을 보면서 '참으로 선하게 살고자 하시는 분들이구나'라는 생각을 많이 합니다. 그러나 세상사의 여러 모습을 받아들이는 개개인의 기준과 가치관의 차이로 불거지는 '다름'은 분명히 존재함을 느끼게도 되었습니다. 앞서 말씀드린 저의 '말 줄어듬'에 대한 자뼉(^^)이 빛을 잃고 또다시 예전의 모습으로 돌아간 데 대한 반성을 하게도 되었습니다.

밴드를 통해 많은 것을 배우고 소통할 수 있으리라는 것을 압니다만 이 글을 끝으로 제가 밴드에서 탈퇴하는 것이 저와 여러분들의 공부에 도움이 되리라는 생각이 듭니다. 조용히 나가면 될 일이지만 그래도 인사는 드려야겠고 왜 나가고자 하는지에 대한 설명도 드려야겠기에 조금은 구차합니다만 이렇게 또 글을 올리는점 너그러이 양해해 주시기 바랍니다. 제가 더 많이 성숙해진 후에 여러분들과 소통하는 것이 옳다고 결정했습니다. 학과공부에 매진하겠습니다. 이 글이 밴드에 올라갈지 아닐지는 모르지만 선배님들과 학우님들께 사랑과 존경의 마음을 전하며 인사드립니다^^ 샬롬~

이재욱_

김형도 [1410044 (졸업) / 평택/안중교회]

샬롬~

우리는 분명한 것과 분명하지 않은 것. 보편적 객관적 진리와 개별적인 주관적 진리를 구별하는 법을 배우면 좋겠습니다. 내가 사랑하고 섬기는 공동체가 나의 주관적 진리에 대해 이해해 주지 못하고 편하고 크게 오해하는 것을 볼때 큰아픔이 있음을 이해 합니다. 저도 어찌보면 그러한 위치에 있을 것입니다. 그러기에 저는 더욱 겸손함으로 교수님 뿐만 아니라 학우님들. 심지어 유치원생인 저의 막내에서도 배움의 자세를 취하고 있습니다. 화평을 위해서는 개별적 주관적 진리(확신)보다는 보편적 객관적 진리에 초점을 맞추어으면 합니다.

예를 들면 동성애자에 대한 태도입니다.

보편적 주관적 진리는 하나님께서는 그들을 사랑하시며 용서하시고 구원받기를 원하신다는 것입니다. 그리고 나머지는 개별적 주관적 진리라 보여집니다. 그러므로 학우님들의 의견들을 좀더 이해하고 포용했으면 합니다. 우리가 화합하지 못하면 우리 공동의 적만 도와주게 되며 그 세력만 키워가게 됩니다.

희~^^ 1(졸업)/

학우님의 글에서 저는 또 다른 시각과 논리를 배웠습니다~~ 서로 다르지만 우리 모두는 한 방향을 향해 가고 있기에 우린 언제가는 하나가 되어 주님의 그 놀라운 사랑과 평강이 함께 하리라 믿습니다~

최경자 1304072 졸업생 해병대교육훈련단교회

학우님과 밴드에서 더 이상 교제 할수 없음에 마음이 아픕니다. 조금더 마음을 열지 못한것이 못내 아쉬운 마음뿐입니다.

부디 바라기는 다시 밴드에서 교제하길 원합니다. 좀더 이해와 관용으로 좀더 서로를 이해하며 교제 할수 있기를 소망합니다. 누구의 옳고 그름을 따지는 것이 아니라 주 안에 우린 하나임을 기억하며 포용과 관대함으로 하루빨리 다시 교제할수 있게 되기를 기대하며 기도합니다.

(알 수 없음)

이재욱학우님은 비록 우리 신학과 밴드를 탈퇴 하셨지만 학우님의 마음의 상태는 괜찮습니다 제기 보았을 때는 정말 진솔하고 멋진 학우입니다 하나님께서 귀한 학우님께 하나님을 더욱 깊이 알아가는 지혜를 주실것이라 믿습니다 하나님과 친밀한 교제속에서 신학을 하고 그 가운데 하나님 기뻐하시는 일들을 감당하시리라 믿습니다 하나님 앞에서 꾸밈없이 서고 싶어하시는 재욱학우님을 응원하고 기도드립니다 주님의 사랑으로 사랑합니다 샬롬 ~^♡^

40

사진

한창 시험공부에 몰두하고 있을 학우들께 인사겸 긴장도 풀겸 시 한 수 올립니다. 고국에 나와 선교훈련 받으며 수료후 증도 여행을 돌아보며 찍은 동기들 사진을 보다 문득 시가 생각나 옮겨봤습니다. 졸작이지만 좋게 봐주길 부탁드리며...

가던 길 멈춰 서서
삼삼오오 짝을 이뤄
저만의 흔적 남기려고
사진사앞에
인생들이 서 있네
제각각 서 있는
한 사람 또 한 사람
카메라는 순간의 여운을 남기고
제자리로 돌아오는데
삶은 긴 호흡으로 손짓하네

서로를 응시하며
들리는 듯 보이는 듯
멈춰진 시간속에
하늘과 땅이 맞닿으니
너와 내가 하나되네

세월은 가도
사람은 오고
희미한 기억을 비집고
사진은 가도
사람은 또 그렇게 새겨진다네

사진은 가고
사람은 오고
우리들 가슴에
사랑 한 움큼 또 그렇게 새겨진다네

이동주_

최경자 1304072 출업생 해병대교육훈련단교회
보통시가 아닌걸요~^^
제 삶에도 아름다운 사진이 많이 찍혔으면좋겠네요
섬김의 사진이, 교제의 사진이, 전도의 사진이, 기도의 사진이 날마다 사진사가 되시는
주님손에 찍혀 지길 원합니다.~♡

권명희 1410026.졸업. 서울임마누엘교회(부목사)
와우~~문학 소년이었군요~~~~축하드립니다~ 오늘 아침시를 읽으면서 ~~♡♡♡

에필로그

밴드에 올라와 있는 지난 글들을 읽다보니 당시의 모습들이 그림처럼 눈 앞에 펼쳐집니다. 지금은 하나님 나라에 가 계시는 마성규 전도사님의 웃음이 가득한 얼굴과 처음 만난 사람도 완전히 무장해제시키는 위트와 유머가 넘치는 목소리가 귀에 울리는 것 같습니다.

많은 분들의 글을 다 싣지를 못해서 아쉬운 마음이 있습니다. 다음 번에는 더 잘 하도록 노력하겠습니다. 널리 양해해 주시기를 부탁드립니다.

영남사이버대학교 신학과 지체이신 여러분은 저의 기쁨이며 자랑입니다. 사랑하고 축복합니다.

영남사이버대학교 신학과는 하나님의 부르심을 받아 목회자와 선교사 그리고 기독교 지성인으로 하나님 나라의 확장과 21세기 한국 사회와 열방을 섬길 그리스도의 제자를 양성하는 것을 목표로 설립된 국내 유일의 정규 4년제 사이버대학교 신학과입니다.

우리는 인터넷이 연결된 곳이면 어디에서나 컴퓨터와 스마트폰으로 강의를 들을 수 있으며 졸업 시 일반 4년제 대학교와 동일한 학사 학위를 받아 국내외 모든 대학원과 신학대학원 등에 진학할 수 있는 자격을 얻게 됩니다.

우리는 신학적으로 사고하고 성경 말씀대로 살며 하나님 나라의 확장과 교회의 유익을 위해 아름답게 헌신하는 일꾼을 양육하기 위해 노력하고 있습니다.

신학을 공부하기 원하시는 분은 언제라도 상담 및 입학절차에 대해 문의하시면 자세하게 알려 드리겠습니다. 우리는 당신을 도울 준비가 되어 있습니다.

http://www.yncu.ac.kr
대표 전화 1577-9602
입시 문의 1577-9603
학 과 장 053-819-5347